MISS ABRAZO

Colección LITTLE MISS

MISS ABRAZO

Roger Hargreaves

Escrito e ilustrado por
Adam Hargreaves

¿Alguna vez te has caído y te has hecho daño?

Me apuesto a que sí.

¿A que luego has deseado que alguien viniera a tu lado a darte un abrazo que te hiciera sentir mejor?

Pues bien, Miss Abrazo es justo esa persona.

Como la vez que encontró a Miss Diminuta cuando se acababa de caer de un bordillo.

Pero hay algo aún más especial sobre los abrazos de Miss Abrazo.

Son sus súper especiales brazos.

Ellos pueden rodear perfectamente a quien sea que estén abrazando.

Incluso si es Mr. Pequeño después de que una ramita le cayera encima y aplastara su sombrero.

O Mr. Pupas después de uno de sus batacazos.

O hasta Mr. Glotón cuando tiene dolor de barriga.

Miss Abrazo está siempre allí con un perfecto abrazo a medida que te haga sentir mejor.

También hay momentos en los que nadie se lastima.

Momentos felices como los cumpleaños.

¡Todos quieren un abrazo de cumpleaños!

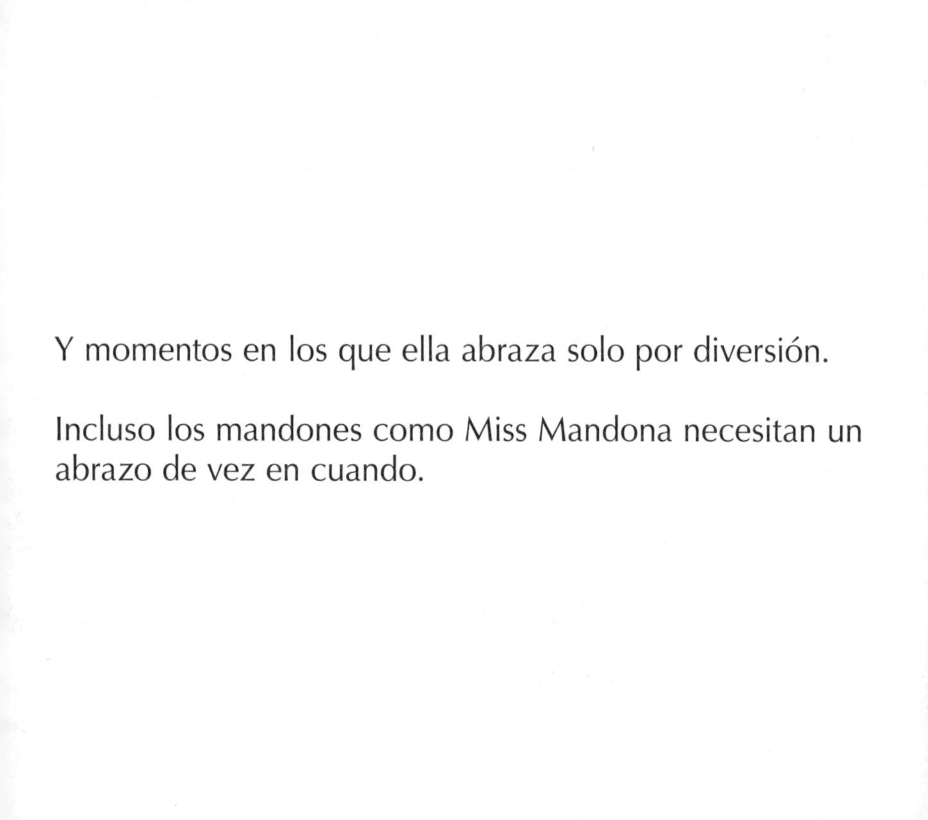

Y momentos en los que ella abraza solo por diversión.

Incluso los mandones como Miss Mandona necesitan un abrazo de vez en cuando.

Así que todos necesitamos un abrazo.

O eso es lo que Miss Abrazo piensa.

El otro día, cuando estaba dando un paseo, escuchó a alguien escondido al otro lado de un seto.

Alguien resoplando y jadeando y gimiendo y quejándose.

Alguien que tenía muy mal genio.

¡Mr. Gruñón!

¿Y por qué Mr. Gruñón estaba de tan mal humor?

¡Porque había salido el sol!

Realmente no hay nada agradable para Mr. Gruñón.

Rápida como un rayo, Miss Abrazo corrió alrededor del seto, extendió su brazos y abrazó a Mr. Gruñón.

O al menos trató de hacerlo, pero ocurrió algo que nunca le había ocurrido antes a Miss Abrazo.

Mr. Gruñón la empujó lejos.

«¡Suéltame!» gritó Mr. Gruñón.

Miss Abrazo no podía creer lo que escuchaban sus oídos.

No podía creer lo que veían sus ojos.

¡Nunca nadie había rechazado un abrazo suyo!

«¡Pero… pero, a todos les gustan los abrazos!», dijo llorando.

Miss Abrazo estaba muy confundida así que volvió a abrazar a Mr. Gruñón.

«Sé lo que estás tratando de hacer», dijo Mr. Gruñón. «Pero no funcionará. Yo soy gruñón y me gusta ser gruñón y ninguna cantidad de abrazos va a cambiar eso».

Miss Abrazo no lo dejó ir.

«Dije que...» empezó Mr. Gruñón, pero luego se calló.

Algo le estaba pasando a Mr. Gruñón que nunca antes le había pasado.

Sentía un extraño, un cálido sentimiento extendiéndose desde lo más profundo dentro de él.

Miss Abrazo lo abrazó estrechamente.

Y entonces sucedió la cosa más extraordinaria.

Muy lentamente, Mr. Gruñón sonrió.

Por primera vez en su vida estaba feliz.

Miss Abrazo lo dejó ir.

«Debo decir» dijo Miss Abrazo. «Que tienes una bonita sonrisa».

¿Y puedes adivinar qué fue lo siguiente que hizo Mr. Gruñón?

¡Se ruborizó!

Por primera vez en su vida, se ruborizó.

Y luego abrazó a Miss Abrazo.

¡Por primera vez en su vida Mr. Gruñón abrazó a alguien!

Aunque, como puedes ver, era casi un abrazo, no un abrazo como los de Miss Abrazo.

Lo que podría llamarse…

…¡medio abrazo!

Un abrazo de Mr. Gruñón.

LITTLE MISS

1

MISS MANDONA

2

MISS CURIOSA

3

MISS ALEGRÍA

4

MISS CHARLATANA

5

MISS MAGNÍFICA

6

MISS ORDENADA

7

MISS PRINCESA

8

MISS TRAVIESA

9

MISS AMABLE

10

MISS RISITAS

11

MISS LIMPIEZA

12

MISS ABRAZO

MR. MEN

1

MR. COSQUILLAS

2

MR. FISGÓN

3

MR. FELIZ

4

MR. FORTACHÓN

5

MR. DORMILÓN

6

MR. GROSERO

7

MR. PUPAS

8

MR. GLOTÓN

9

MR. ALTO

10

MR. PEQUEÑO

11

MR. DIVERTIDO

12

MR. DESASTROSO

Little Miss Hug
Traducción: © Ediciones del Laberinto S.L.

ISBN: 978-84-8483-748-0
Depósito legal: M-19408-2014
Imprime: Lavel Industrias Gráficas S.A.
Printed in Spain

EDICIONES DEL LABERINTO, S. L.
www.edicioneslaberinto.es
www.mrmen.com